桃園結義

導讀文字：金　朝

繪　圖：：李成立

萬里機構・萬里書店出版

編輯：莊澤義・王淑萍
書名題簽：黃　天

① 「古書今讀」之《漫畫三國演義》系列

桃園結義

導讀文字
金　朝

繪　圖
李成立

出版者
萬里機構・萬里書店
香港九龍土瓜灣馬坑涌道5B-5F地下1號
電話：25647511
網址：http://www.wanlibk.com
電郵地址：wanlibk@enmpc.org.hk

發行者
萬里機構營業部
香港九龍土瓜灣馬坑涌道5B-5F地下1號
電話：25623879　　傳真：25909385

承印者
美雅印刷製本有限公司

出版日期
一九九五年七月第一次印刷
一九九九年八月第五次印刷

古書今讀叢書

　　我們的國家，有著數千年的文明。這數千年的文明，用各種各樣的方式記載下來，我們在神州大地上遊覽，為甚麼腳步不時會不由自主地再三猶疑，不忍遽然離去？那就是因為，中華民族的數千年文明以各種面貌出現在我們的跟前，或者是肅立的一個亭子，或者是既流動又凝固的書法，或者是一彎雖然已經老去卻仍在努力的小橋，甚至，那不過是一塊不起眼的殘片，只是，對我們來說，這已經足夠。

　　我們當然不會忽略書籍這樣的一種載體。能夠一直流傳下來的老書，就是古書了。古書，我們不會嫌多；事實上，流傳下來的古書也是不多的。這事情裏面，有著一種必然，那是大浪淘沙的必然。大浪，沒有把一切都淘空淘盡，而且讓我們曉得了，甚麼是值得好好珍惜的寶貝。

　　文明與智慧同在，文明也與寬容同在。時間的流灑，是一種滋潤，使我們的寶貝愈發有著動人的光澤，愈是親炙這樣的寶貝，我們便愈是容光煥發。「古書今讀叢書」出版的目的，便是希望藉著這套叢書的出版，使更多的讀者能親炙這樣的寶貝，得到不同程度的潤澤。由於種種原因，今人讀古書，會有這樣那樣的困難，成為一種阻隔，所以我們以導讀文字輔以漫畫的方法，構築成一彎「拱橋」，讓讀者能愜意地走過去，只要一伸手，就可以觸及那光澤。毫無疑問地，構築這樣的一道「拱橋」，是一項大工程。我們不希望曲解古書，也不要隨意或任意的所謂闡釋，但與此同時，又要於讀者有用，因為這樣，工夫就多了。工夫雖然多，我們樂於這樣去做，同時深願讀者也樂於見到這套叢書的出版，甚麼時候，也為這「拱橋」鼓鼓掌。

出版說明

關羽

張飛

劉備

桃園結義

董卓

王允

吕布

貂蟬

3

《三國演義》主要人物

名、字、號簡表

名	字	號，以及書中對他的其他稱呼
劉備	玄德	劉皇叔、劉豫州、先主
關羽	雲長	美髯公、漢壽侯
張飛	翼德	
董卓	仲穎	董太師
呂布	奉先	呂溫侯
曹操 （小名：阿瞞）	孟德	老瞞、曹老瞞
孫策	伯符	小霸王
孫權	仲謀	碧眼兒
徐庶	元直	
諸葛亮	孔明	伏龍、臥龍先生、武鄉侯
趙雲	子龍	
魯肅	子敬	
周瑜	公瑾	周郎、周都督
黃蓋	公覆	
龐統	士元	鳳雛先生
張遼	文遠	
魏延	文長	
黃忠	漢升	
馬超	孟起	
楊修	德祖	
司馬懿	仲達	
龐德	令明	
呂蒙	子明	
陸遜	伯言	
曹丕	子桓	
姜維	伯約	
劉禪	小字阿斗，公嗣	後主
廖化	元儉	
鍾會	士季	鍾司徒
鄧艾	士載	

目 次

一

桃園結義

這是一個好的開始

「桃園結義」，指的是劉備、張飛、關雲長三人，在張飛莊裏的桃園內結拜為兄弟。結義，就是結拜。

同仇敵愾有緣來相會

《三國演義》裏寫的很清楚，劉備等三人是剛認識便結拜為兄弟的。在一般情況下，剛剛認識，欠缺了基礎，便是要「言深」①也是大忌的，可是，劉、關、張三人不僅「言深」，還要結成兄弟，豈不是犯了大忌麼？

沒有。這三人結成兄弟之後，卻相處得很好，且能共進退。這是不是一句「凡事總有例外」便能解釋得了的。

既然《三國演義》寫得很清楚，那末，便讓我們先看清楚，那是怎樣寫的？

劉備，玄德「性寬和，寡言語，喜怒不形於色②；素有大志，專好結交天下豪傑」。

張飛，「聲若巨雷，勢如奔馬」，「形貌異常」，「專好結交天下豪傑」；而他「頗有莊田」，「頗有資財」。

劉備首先碰上張飛，當即搬出心中塊壘：「今聞黃巾倡亂，有志欲破賊安民；恨力不能，故長歎耳。」張飛馬上回應，表示會拿出錢財，招兵買馬，與劉備「同舉大事」。

要注意的是，他們二人是在幽州太守劉焉招募義兵

的榜文前碰上的，可以說是處於同一氛圍中。這一點，絕對不能忽略。有一個詞語，叫「同仇敵愾」，說的就是一種基礎。劉備在榜文前長歎，張飛見了，即厲聲問道：「大丈夫不與國家出力，何故長歎？」這使劉備心裏有數，對張飛心生好感，故道出心中塊壘③。

劉備與張飛喝酒，商議大事，此時關雲長進門，喚酒保斟酒，表明他要「趕入城去投軍」，劉備見他「相貌堂堂，威風凜凜」，便邀他共坐。這也是有基礎的。無疑，劉備的「素有大志」，「性寬和」，亦能起極大的作用。「桃園結義」並無例外，那其實是一個好的開始。

眾寡不敵制勝出奇兵

劉、關、張桃園結義，他們的共同誓詞，有「同心協力，救困扶危；上報國家，下安黎庶④，不求同年同月同日生，但願同年同月同日死」之語。

接下來所發生的事，是頗為有意思的。

第一，他們帶領徵得的鄉勇五百餘人，投靠太守劉焉，接着，劉焉便命他們帶兵迎擊黃巾軍。敵軍五萬，他們只有五百人。顯然，劉焉對他們的信任程度是有限的。但是，劉備等還是欣然領軍迎敵。

第二，兩陣對圓，劉備初當主帥，然而首先立功的是張飛，他獨力殺了對方的副將，其次是關雲長，他一

①言深：說心裏話。

②喜怒不形於色：喜怒不在臉上表現出來，形容人個性含蓄深沉。

③塊壘：比喻鬱積在心裏的氣憤或愁悶。

④黎庶：百姓。

下子便把敵方的主將斬爲兩段。

這個時候，劉備如何自處呢？對軍人來說，戰功是很重要的。戰事連場——

第三，劉備等再領兵五千（十倍於首次），給青州大守解困，卻「兵寡不勝」（注意是「不勝」，並非「敗陣」或「戰敗」），接着，劉備要出「奇兵」，命關、張各伏兵於山的左右，自己帶兵佯作敗走，引誘敵軍窮追不捨，到了埋伏之處，關、張領兵左右夾擊，劉備則回首揮戈，結果取得大捷。

劉備經此一役，奠定了自己的地位。在首戰中，僅劉備未能立下戰功，關、張二人卻威風八面；次戰，劉備在開始的時候，也是「兵寡不勝」——這四個字，寫的是劉備的心理，不僅傳神而已。「兵寡」，是客觀的事實；「不勝」，那是表示，即使退了下來，最終還是要爭勝，事情還沒有完。如果心理上是「不敵」或「兵敗」，那便要倒下去了。

一方面，面對「兵寡」的現實，另一方面，卻還是要爭勝，只有這樣，才會順利地導至劉備「出奇兵」。盲目從事不行，沒有爭勝的決心也不行。「兵寡不勝」，可圈可點矣！

東漢末年，朝政腐敗，河北巨鹿爆發了張角、張寶、張梁為首的黃巾之亂。

四方百姓，頭裹黃巾，紛紛響應。

攻州掠府，勢不可擋！官軍望風披靡！

命令各地官府徵調兵馬，全力鎮壓！

消息傳到洛陽漢靈帝處。

幽州太守劉焉接到命令，派人到所屬各縣張貼榜文，招募兵馬。

11

大丈夫不給國家出力，嘆息甚麼？

壯士尊姓大名？

這是涿縣好漢劉備。

我姓張名飛，字翼德。平日殺豬賣酒，專好結交天下好漢！

我是漢室宗親，姓劉，名備，字玄德。我有心幹一番事業，卻無力招募兵馬，所以長嘆！

那太好了！

我財產不少，跟你一起幹，怎麼樣？

快拿酒來，我喝了，還要進城去投軍呢！

兩人成了朋友，來到一間酒肆喝酒商談。

這人好威武，一定是條好漢！

多謝！

好漢，請過來同飲！

你叫甚麼名字？哪裏人？

我姓關名羽，字雲長，河東解良人。

13

你怎麼到這兒來投軍?

我在家鄉殺了一個惡人,逃難江湖數年。聽到這裏招兵,特來應招。

走!一起到我莊園去,共議大事。

我倆想結交一些志同道合的朋友,幹一番大事業,一起幹吧!

好!一起幹!

請!

來到莊上，張飛熱情招待!

到了，兩位請!

你園中的桃花可真漂亮!

我們到桃園中去，一邊喝酒，一邊談。

我們志同道合，結為異姓兄弟，共圖大業，怎麼樣？

好！

三人越談越投機。

我三人不求同年同月同日生，但願同年同月同日死！如果背信棄義，天地不容。

以長幼為序，劉備是老大，關羽老二，張飛老三。

他們又邀集鄉中青壯年三百多人，在桃園中痛飲。

第二天，他們開始打造武器，購置衣甲。

我使雙股劍！

我用青龍偃月刀，重八十二斤！

哈哈！這丈八蛇矛好稱手！

穿上鎧甲，騎上駿馬，更顯出英雄本色！

三人率領五百鄉勇，到幽州投靠太守劉焉。

不久，黃巾軍打到幽州，劉焉派劉備、關羽、張飛率軍抵抗。

追啊！殺啊！

初戰告捷，打了個大勝仗。

再戰青州，又建功勞。

二

怒鞭督郵

不讓感情淹沒理智

縣官雖小，劉備並沒有埋怨、氣餒，欣然前往。任上兢兢業業深得民心，卻遭督郵刁難，無法做官，憤然離去，另投他人。

做小縣尉也是個考驗

劉備在與黃巾軍對抗中，「大小三十餘戰」，立有戰功，但只是被任命為縣尉，當個小官。如果說不公平，那自然是不公平的。劉備沒有埋怨，沒有氣餒，欣然帶同關公與張飛赴任。

當上縣尉之後，劉備照樣視關、張為兄弟，「食則同桌」，「寢則同床」，無分彼此；上任一個月，對百姓極好，絕對不會藉着官職斂財，得到百姓的好感。

這裏面，自有難得之處：

一、不會因為得到一些成績而心高氣傲。

一般來說，這關係到一個人志氣的大小。胸懷大志，眼光也會遠大。世上的事，常常要對比，例如，把得到的一些成績放在恢宏的視野中，便會覺着，那成績其實算不上甚麼。

縣尉雖然是小官，但對於從來沒有當過官的劉備來說，也是大有進境的了。世間當上小官而趾高氣揚的人，多的是。

二、不會因為當的是小官而氣餒。

　　頗有一些人，自以為有大志，又同時規定了自己，一定要做大事，劃清了界線，從來不把小事放在眼內，也從來不願意做小事，認為做小事是委屈了自己。要知道的是，大事與小事之間，從來沒有那條界線，否則，也便沒有了「大事化小」這樣的說法了。起碼，把小事做好，是做大事的一種準備。沉得住氣，把小事做好，亦是一種煉歷，有助於早日成大器。

　　劉備當上了小小的縣尉之後，兢兢業業地，把工作做好。走路，總得從走好第一步開始。

　　三、能駕馭得了自己。

　　要能夠駕馭別人，首先得能夠駕馭自己。駕馭不了自己，路也走不好，其他一切都談不上了。駕馭自己甚麼？駕馭驕氣、急躁、自大、自卑、急功近利等等。

　　當小小縣尉的這個考驗，劉備經受得住，也從中得了益處。

怒火並沒有吞噬一切

　　張翼德（張飛）的怒鞭督郵，雖然怒，也並非一味為了發洩地狂鞭。

　　怒氣，沒有完全沖昏了張飛的頭腦；怒火，也沒有完全遮蓋了張飛的眼睛。

　　督郵本身，是一個很可惡的人。

首先，劉備帶着關雲長、張飛迎接督郵，施禮，督郵卻神態傲慢，只是以鞭梢指點，一副不把三人放在眼內的樣子。關雲長、張飛都為此而憤怒。

　　其次，督郵恃着自己的官勢，要收取劉備的財物，可是，劉備為官清廉，根本拿不出來。督郵因此要刁難劉備。

　　以上兩點，成為了張飛怒鞭督郵的伏筆。

　　第三，有五六十個老人，自動為劉備向督郵求情，他們不僅不得其門而入，更被督郵派人在門外趕打，痛哭起來。

　　喝了幾杯悶酒的張飛路過，查明原委，便再也按捺不住，直把督郵自館驛裏拖出來，怒打督郵。

　　張飛用的鞭，其實是摘下來的柳條，所打的，也只是督郵雙腿。無疑，他是憤怒的，因為一輪鞭打，竟打斷了柳條數十枝。

　　督郵曾輕蔑地以鞭梢指點劉、關、張三人，此時卻被張飛以「柳鞭」痛打。

　　張飛大怒而手下留情，那不是為了督郵，而是顧念着劉備與關公。在得不到他們同意之前，他便那樣做。大怒之下，能夠手下留情，那是絕不簡單的。有智者曾經說過，大怒的時候，最好是不做任何事。感情完全淹過了理智，是極容易出亂子的。有的人在大怒中做事，卻不會出亂子，那是因為其大怒是基於有某種需要而裝

出來的，不是眞正的大怒，或者，眞正的大怒已經過去。

　　張飛有自己極强的原則。後來，他和關公都表示，要打死督郵，但劉備不同意，也便作罷。

　　一旦怒火吞噬了一切，便不可收拾了！

劉備解散本部人馬，帶着關、張上任。

黃巾之亂平息後，劉備雖有戰功，但只被封爲中山府安喜縣縣尉。

弟兄三人，睡則同床。

食則同桌。

爲政清廉，愛民如子。

百姓愛戴，有口皆碑。

這樣的好官，我是頭一回見。

劉老爺真是個好官。

縣尉劉備迎接督郵大人！

四個月後，督郵（郡守助理）奉命到安喜巡察。

免了。

這狗官！

太氣人了！

25

你是甚麼人？怎樣得到這個官職？

過了好一會，督郵忍不住了。

我是漢室宗親，中山靖王的後代。因立有戰功，才得了這個官職。

胡說！你肯定是假冒皇親，虛報功績……退下！

我做官清廉，哪裏有財物給他？

督郵大耍威風，無非勒索錢財。

縣吏告知劉備。

第二天，督郵見劉備仍不送禮，就把縣吏叫去。

劉縣尉貪贓枉法，你可知道？

劉縣尉愛民如子，望大人……

你渾蛋！綁了！

大人沒空，不見！

劉備幾次求見，督郵拒見。

唉！看來這官做不成了！

我去揍他！

太氣人了！

別莽撞！

劉備將此事告知關、張。

28

越想越氣。

張飛心中煩悶，在酒肆喝酒消愁。

回衙去！

奇怪！他們在幹甚麼？

路過館驛門口，看到幾十個老人在門前痛哭。

你們這是為甚麼？

我們來為劉縣尉求情，督郵不但不見，反派人毒打我們。

29

31

你貪贓害民，本應殺你，今天饒了你，把官印還你，這官我不做了！

三弟這個麻煩已經惹得不小，若再殺了督郵，麻煩更大。

父老鄉親們，後會有期。

督郵向太守報告了情況，太守差人四處追捕劉備。

33

劉備與關羽、張飛一起投靠代州太守劉恢。

劉恢見劉備也是漢室宗親，就把他們藏匿在家。

不久，劉恢把劉備等推薦給幽州州牧劉虞。

劉備幫劉虞平定了黃中餘部。

劉備重整隊伍，貯備糧草，伺機而動。

劉虞舉薦劉備當了平原縣令。

34

三

曹操獻刀

在「溫度」的巨變中煉歷

　　要做大事，不能欠缺膽識。膽識，是膽量加上見識，這大抵和一個人的氣質與煉歷有關。光是有膽量，則未必能次次成功。

刺殺董太師丁伍事敗

　　漢靈帝駕崩，太子劉辯接位，但力弱不足以震懾諸侯羣臣，董卓乘勢而起，廢登基僅五個月的劉辯，另立靈帝之中子，僅九歲的陳留王爲獻帝，董卓爲相國，掌有大權。在那段日子裏，即有三個人要殺董卓。這三個人，一是尚書丁管，二是越騎校尉伍孚，三是驍騎校尉曹操。三人都不成功。

　　首先要殺董卓的，是丁管。他在朝上，眼見董卓橫行叛逆，「帝后皆號哭，羣臣無不悲慘」的當兒，起而大罵董卓，並以手中象簡擊打董卓，被武士拿下，推出斬首。丁管罵不絕口，死不變色。

　　另一位伍孚，在朝服內藏有小刀，入朝，見着董卓，便拔刀刺殺，但董卓力氣大，伍孚受制，接着便被呂布擒下。董卓命令，以酷刑剖剮至死。伍孚在氣絕前，也是罵不絕口。

　　象簡，是古代臣子上朝時所拿的手版，在上面記事，備忘。這就是說，象簡根本不是武器，丁管也曉得，他是殺不了董卓的，但他「明知不可爲而爲之」[①]，

還是那樣做了。

如果說，丁管是在沒有準備的情況下殺董卓，那末，伍孚則是有所準備的，只是同樣事敗。

《三國演義》裏，既有詩讚丁管，亦有詩頌伍孚。前者，稱丁管是丈夫，後者，更進了一步，把伍孚稱爲大丈夫。

稱許丁管的一首詩是：

董賊潛懷②廢立③圖④，漢家宗社委⑤丘墟。滿朝臣宰皆囊括，惟有丁公是丈夫。

讚揚伍孚的一首詩是：

漢末忠臣說伍孚，冲天豪氣世間無。朝堂殺賊名猶在，萬古堪稱大丈夫！

拚死一擊不如候良機

說「滿朝臣宰皆囊括」，可能是言過其實，恐怕董卓是「囊括」不了的。面對橫逆而順受，也許是爲了靜候時機。無疑，我們亦不能說，丁管那樣做，是壞了大事。丁管以象簡擊董卓，我們可以看成是一椿大事裏的一個環節；後來伍孚所做的，則是同一椿大事裏的另一個環節。是否沒有了這樣的環節，那椿大事便會更臻完美？這是不易評說的。要出現的事，一定會出現，管不了好壞。這樣的事，不是我們的能力所左右得了的。總有一

① 明知不可爲而爲之：明明知道不可以那樣做，卻那樣做了。

② 潛懷：偷偷地懷有陰謀。

③ 廢立：廢除舊君，另立新君。

④ 圖：圖謀。

⑤ 委：同「萎」，殘敗。

37

些人會不顧一切地跑出來，盲目地做一些不可能成功的事。這當中，那種氣概也許是值得肯定的。一個丁管，再一個伍孚，使董卓提高了警惕，起碼，在伍孚事敗之後，「董卓自此出入常帶甲士護衞」，便是負面的影響，可是，這也未必避免得了，重要的是，另一方如何吸取教訓，在困難中能夠前進得更好。

曹操的刺殺董卓，明顯地是吸取了教訓的。

第一，曹操對董卓先是「屈身以事」，取得董卓的信任，可以接近董卓；

第二，他向司徒王允借得寶刀一口，增加了自己成功的機會；

第三，他知道董卓力大，故此雖然接近了董卓，而董卓身邊又沒有了呂布，他還是不想謬謬然下手，要尋覓最佳時機，一擊即中。

曹操事敗，我們也不能因此批評他怯懦，事實上，如果覓得最佳時機，確是可以水到渠成，但最佳時機又確是不易覓得。董卓背向曹操而睡，曹操要下手，卻被董卓在衣鏡中看見曹操拔刀，立刻回身喝問，呂布也恰好在這時來到，在這種情況下，曹操沒有拚死一擊，而是持刀跪下，佯稱獻刀。曹操這樣做，是明智之舉。董卓的警覺性大大提高，加上身手不凡的呂布在旁，曹操的成功機會，已下降至最低點。那時候，他的最佳選擇，是唯有獻刀了。

　　要覓得最佳的時機，離不開忍耐力。這裏說的忍耐力，與識見有關。有了識見作基礎，那種忍耐力才是可觀的。

　　曹操來到董卓身旁，在拔刀刺殺之前，也幾經轉折，當中，亦表現出不太簡單的忍耐力，稍為急躁，曹操便不僅事敗，而且無法脫身。這忍耐力，同樣是定力。

　　此外，對曹操而言，刺殺董卓，是一次煉歷的好機會。我們說，在這事情裏，他經歷了一次「溫度」的劇變。他嘲笑眾官不能「哭死董卓」，自動請纓，進入相府刺殺董卓；王允把寶刀交給曹操，並奉酒，曹操瀝酒設誓；曹操入相府，等候時機；曹操拔刀，被發覺；事敗獻刀，隨後出走。這是一個「溫度」急升與急跌的過程，起伏極大。

在極度困難之中煉歷

　　有的科學家一直在研究地球的歷史，其中的一個學說認為，地球溫度的升升跌跌，是有周期性的，大抵是在五、六萬年的冰河期之間，穿插着一萬年左右的溫暖期，即使沒有了人類的活動，這種規律性還是要延續下去的，可是，這種溫度變化，和因為溫度變化所帶來的環境變化，尤其是劇烈的變化，能促進人類的發展，例

如，古代的猿人從爬行到直立行走：那是由於氣候的變化，使整片地覆蓋大地的林區分割開來，從這個林區到那一個林區，直立行走是要較爬行省力的，於是猿人便直立行走起來。有人說，這是環境決定論。馬雷特（R.R. MARETT）在其著作《人類學》中指出：「事情牽涉到各種學問中最是變化莫測的古地理學（Palaeogeography）時，少講幾句是最聰明的辦法。」又說：「地理的事實代表一種消極的條件，生命則是天性積極的東西，牠服從條件，但是就在這服從之中牠征服了。我們不能撇開受制於物質這件事實。但是物質的限制為人性所超越，其巧妙動物界中莫可比擬。」這是有別於「環境決定論」的另一種學說，但無論如何，有一點相同的是，人類在變異的溫度、變異的環境中前進。誰都不希望活在困境中，然而困境會使我們得到了煉歷，由此增加了膽量，增加了識見，增加了智慧，增加了本領。

曹操刺殺董卓的過程，使他得到了很好的煉歷。他知難而進——那種難度，比伍孚面對的更大——，卻又不冒進，最後在極度困難之中，使董卓沒有改變安排，讓他試騎名駒，曹操得以離開險境，到了董卓在李儒的提醒下，要捉拿曹操，曹操已經逃脫了。

可以肯定的是，逃脫了的曹操，比過去更強大，更能威脅董卓了。

朝中發生內亂，董卓乘機進京，掌握了大權。

董卓執掌朝政，殘暴專橫。

不久，漢靈帝駕崩，太子劉辯登基做了皇帝。

這年九月，董卓廢了少帝劉辯，立陳留王劉協爲漢獻帝。

朝內大臣敢怒而不敢言。

酒吃到一半，王允忽然大哭。

一天，司徒王允托言做壽，請眾大臣到府中喝酒。

董卓弄權，江山不保，傷心呀！

司徒大人，這是爲何？

大臣們個個掩面哭泣。

42

43

孟德，你今天怎麼來得這樣晚？

我的馬又瘦又弱，走得太慢！

第二天，曹操佩着寶刀，來到董卓府。

他義子呂布英勇無敵，一以當十，看來今天難以下手。

呂布，你去給孟德挑一匹西涼進獻的好馬來。

是！

45

好馬！我試騎一下，行嗎？

行！

曹操神色慌張，十分可疑。

是嗎？莫非他想行刺我

董卓派人去找曹操，曹操早已逃出了城。

董卓下令張貼告示，通緝曹操。

拿捉

47

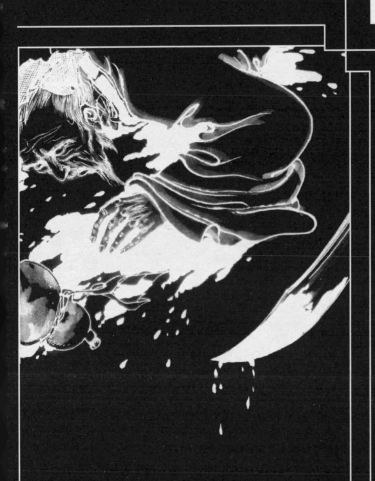

四

捉放曹

我們也來唸動殺字訣

　　曹操殺董卓未遂，逃出城外，途經中牟縣，卻被那個縣令認了出來，把他捉住了。

　　縣令叫陳宮，他不甘在那一個地方當一個小官，聽信了曹操的鴻鵠之志①，便放了曹操，和他一起逃跑。當然，生逢亂世的曹操，也真的是想闖一番事業的。在這一點上，曹操並沒有欺騙陳宮。

我負天下莫天下負我

　　陳宮後來很快又離開了曹操，那是由於曹操殺了呂伯奢的一家九口。陳宮最不能忍受的，是曹操明明知道呂伯奢沒有絲毫害他之意，也把呂伯奢砍於驢下。

　　接下來，曹操跟陳宮的對話，值得我們細味。

　　陳宮問曹操為甚麼要殺掉呂伯奢，曹操答道：

　　「伯奢到家，見殺死多人，安肯干休？若率眾來追，必遭其禍矣。」

　　陳宮說：「知而故殺，大不義也！」

　　曹操說：「寧教我負天下人，休教天下人負我。」

　　陳宮沒有說話，心裏卻自有打算，他認定了曹操是個狠心之徒，後來便乘著曹操熟睡的時候，悄然離去。

成就自己的一番大業

「寧教我負天下人，休教天下人負我」，成為了曹操的名句；光是這句話，已經足以使曹操留下了惡名了。不過，這句話儘管與「我雖不殺伯仁，伯仁由我而死[②]」大相迴異，我們也不妨看看，曹操的這句話，到底有沒有可取之處呢？

呂伯奢是曹操父親的結義弟兄，也可稱得上是曹操的世叔伯。曹操在殺呂伯奢之前，因為誤以為呂的家人磨刀霍霍的要殺他，所以先下手為強，一口氣殺了呂家的八口，到了後來，曹操已經從一些跡象得知，自己是殺錯了人，可是，他仍然是要把購買酒食回來的呂伯奢殺掉，所為的，是怕呂伯奢回家得知實情後，不會罷休，「必遭其禍」。站在曹操的立場來看，他這樣做，也不是完全沒有道理的，殺掉呂伯奢的一家九口，來成就他的一番大業，是完全值得的。對曹操而言，成就一番大業，是唯一的方向，而這裏面，也就有著唯一的標準，順者昌，逆者亡，對與不對，已經不容旁人置喙[③]了。

曹操也是要闖出路來

我們所信奉的，或者是「仁者無敵」這四個字。天下

① 鴻鵠之志：典故出自《史記・陳涉世家》：「嗟乎，燕雀安知鴻鵠之志哉！」後人因以比喻遠大的志向。

② 我雖……而死：晉時，王敦作亂，欲殺朝廷命官周伯仁。王導不置可否。結果周伯仁被殺。事後，王導回朝，見到周伯仁為他辯誣的奏表，這才痛哭失聲地說：「我雖不殺伯仁，伯仁由我而死。」後來，人們借用這個典故表示對某人之死，要負一定的責任。

③ 不容旁人置喙：不允許旁人插嘴（發表意見）。

51

歸於仁者，這也不是沒有道理的；可是，另一面，對我們來說，曹操殺呂伯奢一事的積極意義，就是立下了一個目標之後，便得百折不回，有的時候，更要以我為主，不為任何事情所動，那才可以最後得到成功。我們甚至也可以像曹操那樣，唸動了殺字訣，只是，所殺的不是人，而是無數的雜念。

如果我們置身於一個雜草叢生而四周無路的山上，要闖出一條路，那便得選出一個方向，然後把擋在前面的雜草砍掉，起碼是毫不猶豫地踏平於腳下，那才有一條路。在一般意義上，路也是這樣走出來的。

在山上憑著自己的力量走出一條路來的經驗是許多人都有的，有關的做法，其實也適用於其他的一些地方。從某個角度看，曹操也不過是要走出一條路來而已！

曹操逃出京城，直奔譙郡（今安徽亳州）老家。

路過中牟縣，他被守關軍士認出抓住。

軍士押着曹操來見縣令陳宮。

你是甚麼人？

我是過路客商，覆姓皇甫。

皇甫？

我在洛陽求官時，認得你是曹操，你為甚麼不承認？

既然你已認出，何必再問！

把他關入獄中，明日解京請賞！

唉

曹操行刺董卓，乃英雄豪傑所為，我若解他進京，一定會遭天下人唾罵。

半夜，陳宮把曹操提到後堂復審。

54

聽說董卓對你不錯，你為甚麼要行刺他？

董卓禍國殃民，我要為國除害！

曹公真是個大英雄！

我要約天下諸侯，興兵共討董卓。

我如放了你，你有甚麼打算？

你真是天下少有的忠義之士，我願棄官跟你一起逃走！

那太好了！

55

兩人當夜逃離中牟縣城。

我父親的結義兄弟呂伯奢住在林子裏，我們去借宿一晚，問問情況。

三天後的傍晚，來到成皋。

啊！是賢侄，請！

伯父，你好！

聽說朝廷正懸賞捉你，父親躲到陳留去了，你怎麼……

哦，這位是誰？

曹操說了陳宮相救之事

是我的救命恩人，中牟縣令陳宮。

好一會，呂伯奢才出來。

家中沒有好酒，我去西村買酒。

多謝伯父。

今晚你倆就住在這兒，我進去安排一下。

綁住了再殺！

兩人悄悄來到後院門外。

後院傳來磨刀聲。

霍——霍——霍——

事有可疑，去看看！

你聽，果然要算計我們。若不搶先下手，肯定要遭殃。

兩人衝進去，連殺八人。

殺已經殺了，還說甚麼，快走！

啊，甚麼？

不好！我們錯殺好人了！

廚房地上有一口豬。

有罪之人，不敢久留！

兩位，怎麼這就走了！

兩人忽忙逃離，半途遇到呂伯奢打酒回來。

我已叫家人殺了豬，現又沽了酒，你倆為甚麼不住一晚呢？

曹操不顧，拍馬而行，陳宮緊隨其後。

不好！他若回家看到全家被殺，定會報告官府。

曹操撥馬返回。

嗯！無毒不丈夫！

啊——你？

伯父，你後面誰來了？

誰？

剛才是誤殺，你現在為甚麼又殺他？

他回去見全家人被殺，如果報告官府，我們豈不遭殃？

寧可我負天下人，決不讓天下人負於我！

你太狠心了！

當天晚上，兩人投宿在一家客店中。

唉！怪我看錯了人！沒想到曹操如此狠毒！

陳宮卻睡不着

曹操睡着了！

呼——

呼——

我不如殺了他，以絕後患。

唉！先放他，再殺他，算甚麼呢？不如離開他吧！

不好，陳宮他跑了。

不管如何，我也得快走。

咦，人呢？

曹操醒來，不見陳宮。

曹操忽忽出店，飛馬朝陳留奔去。

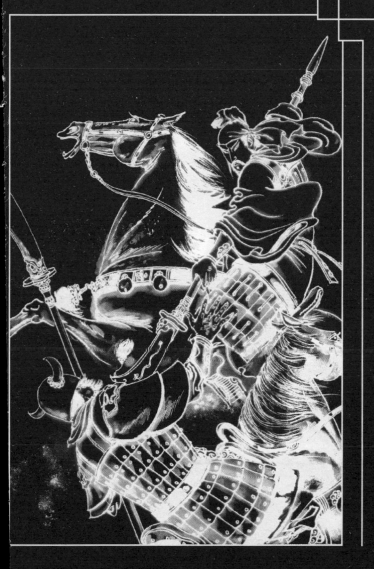

五

溫酒斬華雄

本來可以料事如神

智者，指的是在處理事情時，能夠統盤考慮問題，不會因為在某一件小事上得利，而影響大局。若只看一時利益，不顧全局，則非智者所為。

意料中事孫堅未料到

《三國演義》裏，「溫酒斬華雄」這個故事，素來膾炙人口。關雲長的神勇，敎人矚目。然而，與這個故事有關的另外兩個人，一是孫堅，二是曹操，其實是更值得注意的。

曹操為了與董卓對抗，與眾諸候結盟，並推袁紹為盟主。袁紹要發兵討伐董卓。「三軍未動，糧草先行」，袁紹不避嫌疑，自行推舉其弟袁術總督糧草。同時，袁紹要選一人當先鋒，長沙太守孫堅毛遂自薦①，「願為前部」。

無獨有偶，那邊，董卓趕忙備戰，在呂布挺身而出的時候，也有一人毛遂自薦，那就是關西人，華雄。

如果說這是運氣，那末，華雄的運氣要比孫堅好，因為他面對的只是敵方的孫堅，但孫堅面對的，卻不僅是來自敵陣的華雄，他面臨的形勢，比華雄要複雜得多。

本來，面臨複雜的形勢也不要緊，要緊的是對這樣的形勢有充分的認識，作出恰當的部署，逐一化解。

顯然，孫堅沒有這個識見。

袁紹的盟軍是剛剛組成的，在某個程度上，衆諸候可以說是「各懷鬼胎」，起碼，怎樣爭取在盟軍裏有所表現，建立自己的地位，有利於日後的發展，便是寸土不讓的事。孫堅的請纓，也難保不是爲了這樣的一種想法，「人同此心，心同此理」②，那是理所當然，但孫堅並沒有對此作出充分的估計，或者，他順利當上了急先鋒，便以爲達到目的，想不到這末一來，卻促使同一營壘的人，把他推向險境！

首先，是盟軍裏的一位諸候鮑信，怕孫堅奪了頭功，暗中動員胞弟帶兵三千，另抄小路，趕在孫堅之先，挑戰華雄。

接着，袁術擔心孫堅直搗洛陽，殺了董卓，無異於「除狼得虎」，於是，不給孫發糧草。

這意料中事，卻不在孫堅意料之中。

把握機會應看清形勢

當袁紹盟軍急先鋒的孫堅有沒有本事？

這個問題，不能簡單地解答。如果說，孫堅本身武藝了得，那自然是一種本事，可是，這種本事相對於看得通大局，又不過是一種小本事了。

袁紹的盟軍剛組成，想當急先鋒爭取表現的，肯定

①毛遂自薦：毛遂是戰國時代趙國平原君的門客。秦兵攻打趙國時，平原君奉命到楚國求救，毛遂自動請求跟着去。到了楚國，毛遂憑着自己的聰明才智，果然說服楚王出兵去救趙國。後人因以「毛遂自薦」比喻自己推薦自己。

②人同此心，心同此理：形容衆人對某些事、某種道理，都有同樣的看法。

65

不止孫堅一人。在數不勝數的大大小小戰事上，自動請纓上陣的將軍、武士，也是多得數不勝數。盟軍第一次出兵，當上急先鋒，奪頭功，大家都曉得，那是十分重要的。這個情況下當急先鋒，其實是眾矢之的。結果，盟軍裏有人搶在孫堅的前面，首先跟董卓那邊的華雄對陣；盟軍的袁術又故意不給孫堅發糧草。與此同時，華雄又聽取了謀士的意見，乘夜偷襲孫堅，並且兵分兩路，前者正面衝擊，後者放火。

到了這裏，孫堅是雙重的腹背受敵。第一重，是局部的，在自己的營寨，被華雄兩路兵馬的夾擊，腹背受敵；第二重，是全局的，既要對付董卓，又要應付營壘中人，腹背受敵。那確是使孫堅左支右絀。

另一方的董卓，是相對穩定的一股勢力，許多利益的分配是既定了的，沒有那麼多的機會，蠢蠢欲動的人也便較少。所以，同樣是自動請纓，華雄的處境便遠遠不像孫堅那末複雜了。

我們做事情，固然要把握機會，但也得看清楚形勢，特別是看清楚大形勢。沒有看清楚大形勢而把握機會，恐怕只會走向預期的反面，很快便吃着苦果了。

袁術害怕孫堅直破董卓老巢，屆時「除狼得虎」，站在他的立場，這種擔心也不是沒有道理的。一個人鋒芒太露，或在不適當的時候露鋒芒，並沒有好處。

孫堅被華雄夜襲，先是情急下拉斷了弓，然後是在

祖茂的提醒下，才懂得脫下成了目標的「赤幘」（紅色的頭巾），既不夠冷靜，亦智謀不足。

① 駢集：聚集。

知人心向背一呼百和

「溫酒斬華雄」其實是《三國演義》裏「發矯詔諸鎮應曹公，破關兵三英戰呂布」的一個故事，一個環節。

矯詔，是曹操發出的。矯詔，是假借君命，發布詔令。發矯詔，是要召集天下諸侯，對付「欺君害民」、「專權」的董卓。發矯詔之後，曹操便豎起招兵白旗一面，上面只簡簡單單地寫了兩個字，但效果很好，「不數日間，應募之士，如雨駢集①」。

這使我們想到，現代社會，很注重宣傳推廣，甚至無所不用其極，大灑金錢，但效果未必與此成正比。「心想事成」，不是那末容易的事。

白旗上寫的，是「忠義」兩個字，針對的，是董卓的不忠不義。曹操把住了重心，深諳順水推舟之道。

順水推舟之下，眾諸侯陸續前來，「各自安營下寨，連接二百餘里」。可以說，曹操的「忠義」二字，也進入了今天廣告學甚至是管理學的核心。

接着，曹操「宰牛殺馬，大會諸侯，商議進兵之策」，儼然是主人家，可是，大家要推舉盟軍的盟主的時候，他卻力薦袁紹：「袁本初四世三公，門多故吏，

漢朝名相之裔，可爲盟主。」我們從這裏已經可以窺見曹操的深謀遠慮，他發的是「矯詔」，得到良佳的反應，再從「忠義」旗，知道人心向背，故搬出「漢朝名相之裔」的袁紹來當盟主，果然一呼百和。

曹操以退爲進，三言兩語，便得以奠定自己在盟軍的地位。也不妨說，袁紹雖然當上了盟主，但其勢已盡；沒有當上盟主的曹操既享有一定的地位，而且後勁凌厲。

組建盟軍，曹操花了很大的力氣，然而他推舉袁紹當盟主，無異於向大家表明了，他那樣組建盟軍，並無私心，全是爲了漢朝大業，這便一下子攫住了人心。從某個角度看，曹操力薦袁紹，所懷的確是真心實意。

成也一言，敗也一言

袁紹在曹操的力薦下，當上了盟軍的盟主。袁紹以盟主的身份，初會衆諸侯，首先說話的，卻是曹操，他聊聊數語，卻極爲得體，極能籠絡人心。

曹操是這樣說的：「今日既立盟主，各聽調遣，同扶國家，勿以強弱計較。」

這聊聊數語，有不同的層面。

一層，是對袁紹說的，表明他確是支持袁紹。由於這是當着衆諸侯的面前申說，所以很有力。

　　盟軍的組建，得力於曹操。在那末一個場合，曹操首先說話，再度表明立場，爲袁紹鋪路，也是必要的。

　　第二層，是對衆諸侯說的，希望他們在「同扶國家」的大前提下，聽從調遣。這是再度爲盟軍的穩固，打下基礎。

　　第三層，還是對衆諸侯說的，他要求衆諸侯「勿以強弱計較」，極有針對性。衆諸侯本來有強有弱，聚在一起，至少在一段日子裏，還是離不開自己原來的實力，矛盾也會由此而起，如果不加疏導，甚至會成爲盟軍的致命傷。

　　曹操的話，說得極是時候，並且各有側重，有不同的深度，照顧周全，彈無虛發。

　　及後，盟軍的急先鋒孫堅敗走，董卓的將領華雄直逼袁紹寨前，盟軍二將先後出戰，均旋即被斬。任劉備馬弓手的關雲長請纓，袁紹認爲關雲長身份卑微，不允出戰，但曹操看的卻不是關雲長的身份，而是他的相貌，更認爲「此人既出大言，必有勇略」。

　　曹操贈關雲長熱酒，關暫且不喝，他斬了華雄回來，酒尚溫。曹操要獎賞劉備等，袁術不服，要告退。曹操說：「豈可因一言而誤大事耶？」他表面聽了袁術，但暗裏仍然撫慰劉備等三人。

　　曹操實事求是，因應實際情況而處事，不會先入爲主，也所以能冷靜，進退有據。

他的同族兄弟曹仁、曹洪，武藝高強，各帶千餘人前來歸附。

曹操回到陳留，樹起招兵大旗，招兵買馬，準備和董卓對抗。

曹操父親本姓夏侯，夏侯家族中的夏侯惇、夏侯淵也各帶千餘人前來歸附。

願在將軍帳前効力。

又得樂進、李典兩員大將。

好！

願在將軍帳前効力。

曹操又假借天子旨意，向各路諸侯發出討伐董卓的號召。

不久，曹操便組成了一支數萬人的精銳部隊。

渤海太守袁紹等十七路諸侯紛紛帶兵前來會盟。

他們共推袁紹爲盟主率軍向洛陽進發。

劉備帶着關、張，依附北平太守公孫瓚，也隨軍前進。

71

長沙太守孫堅率部爲先鋒，攻打汜水關。

報！汜水關告急！

董卓營中。

父親，兒願領兵前去迎戰！

我有虎兒，可以高枕無憂了！

殺雞焉用宰牛刀？我願領兵前往汜水關，殺退諸侯兵馬！

好！我封你爲驍騎校尉，領兵五萬，前去迎敵！

戴牛耳頭盔的是關西大將華雄。

濟北相鮑信想搶頭功，派弟弟鮑忠搶先去攻關。

華雄率兵迎戰。

華雄連夜率軍來到汜水關。

報！華將軍初戰告捷，殺了鮑忠！

如此膿包，見鬼去吧！

只一個回合。

報！長沙太守孫堅在關下叫戰！

加封華雄為都督！

73

胡軫，你領兵五千，出關迎敵！

是！

孫堅部將程普大戰胡軫！

胡軫被程普刺死下馬。

啊！

衝上去，搶關！

殺得華雄部下丟盔卸甲，逃回關內，緊閉城門。

好計！

孫堅今日獲勝，將軍如晚上去劫營，他一定不會防備……

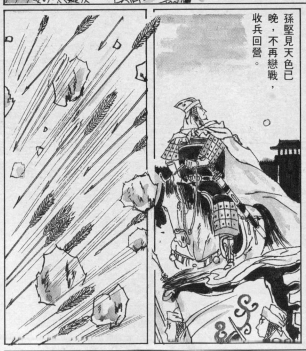

孫堅見天色已晚，不再戀戰，收兵回營。

半夜，華雄和李肅分二路殺入孫堅大營。

士無鬥志，一片混亂。

不好！後營起火了！

啊！

孫堅倉促應戰。

好！衝出去！

將軍，快突圍！

孫堅，你住哪兒逃？

華雄緊追不捨。

孫堅連放兩箭，都被華雄躲過。

哎喲，弓弦斷了！

嘭

戴紅頭幘的是孫堅，活捉他！

將軍，你快脫下紅頭幘，和我對調，衝出去！

兩人換了頭幘，分路衝出。

華雄緊追紅頭幘。

孫將軍已經走遠，我把頭幘掛在柱上，躲入林中。

華雄果然上當。

包圍紅頭幘，放箭！

許久，不見動靜。

啊！
中計了！

華雄察覺
反手一刀。

祖茂趁華雄不備，
從背後偷襲。

殺到天明，
華雄收兵
回關。

孫堅收拾殘兵，派人向袁紹求救。

鮑忠擅自進兵，殺身喪命；孫堅又被打敗，怎麼辦？

諸侯們默不作聲。

公孫太守背後是甚麼人？

他是漢室宗親，平原縣令劉備。

這有啥難？

三人異口同聲。

既是漢室宗親給他一個坐位。

多謝。

劉備坐於末位，關羽、張飛侍立身後。

80

報！
俞涉戰死！

冀州太守韓馥，舉薦手下大將潘鳳迎戰。

不好！華雄又殺了潘鳳。

唉！可惜我的上將顏良、文醜沒來，如有他們在此，就不怕華雄了。

哎呀！

潘鳳和華雄戰了幾個回合，也落馬身亡。

眾諸侯大驚失色。

81

擔任甚麼職位？

馬弓手！

你是甚麼人？

我是劉備義弟關羽！

我願意去殺華雄，把他的首級取回。

一個小小馬弓手，竟在此胡言亂語，轟出去。

他既出大言，必有本領，不妨讓他出馬一試，如果不能取勝，再責罰他。

這人生得氣宇不凡，華雄怎知道他是馬弓手？

我十八路諸侯數百員大將，竟派一馬弓手出戰，豈不被華雄恥笑？

我斬不了華雄，甘受軍法處治。

將軍請飲了這杯酒，願你得勝而歸！

多謝。待我斬了華雄，回來再喝！

曹操親斟一杯熱酒。

關羽接過酒，放回桌上，

咚，咚咚……

關羽提刀飛身上馬，衝出寨門。

立功受賞，何必計較他們的職位呢？

你們既然只看重一個縣令，那我告退了！

當晚。曹操又派人送酒肉慰勞劉、關、張三人。

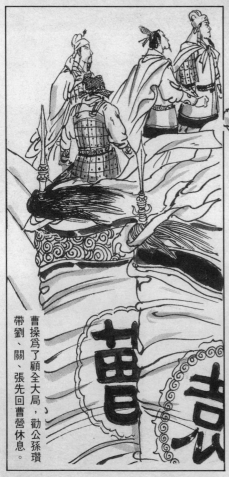

曹操為了顧全大局，勸公孫瓚帶劉、關、張先回曹營休息。

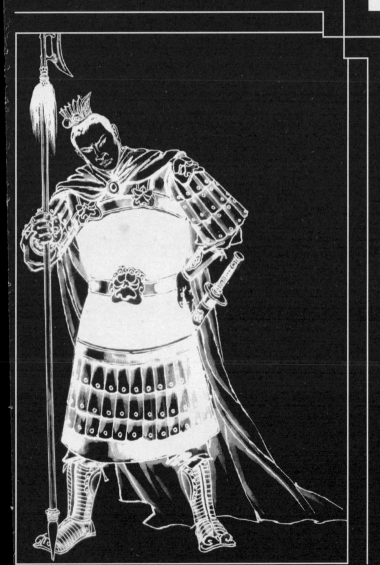

六

三英戰呂布

智勇雙全方算眞英雄

在惡劣環境及危急時刻，保持清醒的頭腦，分清主次，辨明輕重，便能把握戰機，從中取勝。

保全局重於個人名望

「三英戰呂布」，是耳熟能詳的了。劉備、張飛、關雲長合三人之力，劇戰呂布，好不容易才迫得呂布敗走。這事情裏，「三英」值得稱讚之處有二：

一、「三英」當時可說是已經薄有名氣，不懼人家說他們「以眾凌寡」，而是以大局為重──在他們出戰呂布之前，呂布已連折數將，勢如破竹──，張飛一馬當先，關雲長繼而輔之，劉玄德接着也加入戰陣。最後，「三英」迫退了呂布，保住了大局。

在個人名望與大局之間，「三英」選擇了後者，是非常明智的。把個人名望放在高於一切的位置，非智者所爲。

粗中有細能急中生智

二、呂布逃進虎牢關，「三英」在窮追之前，張飛提出，「追呂布有甚强處」，應先擒董卓，關鍵之處，懂得分輕重，辨主次，而且那是在「沙塵滾滾」之中決定的。「沙塵滾滾」，等而下之者，必會「殺錯良民」①。有人

說，在「沙塵滾滾」之中，最好不要做決定。然而，客觀上，我們往往不能等到最好的時候才下決定、才做事。真有本領的人，便是能夠在不那末好的時候，做出較好的決定。

張飛，粗中有細，絕對不是大老粗。我們觀人，也得微中知著②。例如，把粗中有細的對手看成是大老粗，吃虧的不是對手，而是自己。一套上乘的「觀人術」，能大大地助我們一臂之力。

①殺錯良民：香港俗語，指忙中出錯，以至造成嚴重後果。

②微中知著：從細微的地方看出它的帶有本質性的特徵。

89

報！華雄被殺，汜水關告急！

李催，郭汜！

有！

你倆領兵五萬去守汜水關，不許出戰！

是！

董卓和呂布，領兵十五萬前往離洛陽只有五十里的虎牢關鎮守。

是！

呂布，你領兵三萬，在關前紮寨。

袁紹獲悉，召集各路諸侯商議。

袁紹便令王匡、公孫瓚等八路人馬，前去攻打虎牢關。

河內太守王匡領兵先到呂布寨前。

董卓屯兵虎牢，可兵分兩路，一半截住中路，一半前去迎敵！

呂布帶三千鐵騎兵出寨迎戰。

誰先出戰？

河內大將方悅自告奮勇。

我上！

不到五個回合，方悅被呂布一戟刺死。

衝啊！

殺啊！

呂布大勝。

王匡率軍潰逃。

第二天，八路諸侯到齊，一起商議如何對付呂布。

八路諸侯，一起領兵出營。

報！呂布在外挑戰！

上黨太守張揚的部將穆順，衝出交戰。

哪個不怕死的，前來會我！

如此膿包，也敢來戰！

只一個回合，被呂布一戟刺死。

呂布，你休得囂張，我來會你！

北海太守孔融部將武安國衝出陣去。

兩人大戰十餘回合。

叫你嘗嘗我的厲害！

啊！

武安國敗逃回陣。

公孫瓚見呂布囂張，揮槊親自迎戰，

94

沒幾個回合，公孫瓚就敗下陣來。

公孫瓚，你往哪裏逃？

呂布，你別逞兇！燕人張飛在此！

呂布放了公孫瓚，來戰張飛。

棋逢敵手，將遇良材。兩人大戰五十回合，不分勝負。

95

關、張合戰呂布，又戰了三十回合，還是不分勝負。

三弟，我來幫你！

劉備忍不住，也衝出陣來。

三人圍住呂布，越戰越勇。

這三人本領都不小，硬拼下去，我要吃虧。

他往劉備臉前虛晃一戟，劉備急忙閃開。

呂布倒拖畫戟，往虎牢關逃走。

呂布，你往哪裏逃？

呂布人馬在關前立不住陣腳，全部撤回關內。

衝啊——殺啊——

攻下虎牢關，活捉董卓，斬草除根！

攻到天晚，收兵回營。

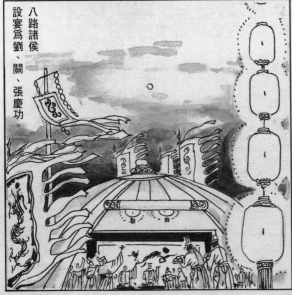

八路諸侯設宴為劉、關、張慶功。

當晚，董卓見呂布敗陣，軍無鬥志，只好撤兵回洛陽。

我決定遷都長安，你們意下如何？

司徒楊彪、太尉黃琬、司徒荀爽三人反對，遭到免職。

尚書周毖、校尉伍瓊勸諫被殺。

董卓下令屠盡洛陽富戶，搶劫無數財物。

李傕、郭汜帶領人馬，把洛陽百姓趕往長安。

董卓臨行，下令在城內各處放火。

哈哈！
走！

董卓劫持獻帝，離開洛陽。

虎牢關也很快被攻下。

董卓棄洛陽而逃，汜水關守將向先鋒孫堅投降。

孫堅領兵先入洛陽，發兵救火。

諸侯在荒地上屯住軍馬。

董賊西逃，我們合力追擊，天下可定！

諸侯兵馬都很疲乏，進兵沒甚麼好處。

豎子不足與謀！

待稍作休整不遲。

眾諸侯紛紛附和。

曹操帶領本部萬餘人馬，獨自去追擊董卓。

曹操折了不少人馬，只好返回洛陽。

不料追到滎陽地面，中了董卓埋伏，曹軍大敗。

七

傳國玉璽

機會難得，遇到好時機，要抓住不放趁勢而上。遇到不利於自己的情勢，要設法營造一個勢，借以扭轉乾坤。

▌得玉璽即爲心魔所乘

曹操組盟軍，推袁紹爲盟主。袁紹發兵攻打董卓，孫堅自薦當急先鋒，卻兵敗，鬱鬱不得志。後來，董卓遷都，棄洛陽而取長安，離開之前在洛陽大肆搶掠，又四處縱火，使洛陽成爲廢都。

孫堅屯兵於廢都。一個晚上，按天象所示，在一井中得傳國玉璽，孫堅的命運因此有了重大的變化。

這塊傳國玉璽，經過多位皇帝的使用，也經歷了多個朝代。民間有傳說，誰人得此寶物，便可成爲九五之尊①，當上一國之君。

然而，孫堅得到這塊傳國玉璽，卻沒有甚麼好處。這不是由於這塊玉璽有甚麼不可告人之秘，叫孫堅着了道兒②。事情是放得很明白的，「能者而當之」，或者說，有足夠能力的人，才可以鎮得住那玉璽，否則，像孫堅那樣，得到那寶貝的同時，也便有一頭心魔③，纏上了身。

孫堅得到了傳國玉璽，便託疾向袁紹請辭，回江東圖謀大事，要當皇帝。

①九五之尊：即帝王之尊。九五，典故出自《易・乾》，後人以「九五」指帝位。

②着了道兒：中了邪道。

③心魔：擾亂心神的魔怪。

④一子錯，滿盤皆落索：下棋時，一子下錯，全盤皆輸。

孫堅那樣匆匆下決定，其中一個原因，是他處於失意期。他自薦當急先鋒，寄望甚大，豈料戰敗沙場。所謂「希望愈大，失望也愈大」，他沒有來得及填補心底的洞，自己掉了進去。

當急先鋒而失敗，自然更受制於人了。在心理不大健康的時候，意外得到傳國玉璽，便立即爲心魔所乘。這裏面的一個重要教訓是，無論如何，下大的決定，不能夠匆匆，不能夠憑着心血來潮。

孫堅向袁紹請辭，顯然是沒有經過很好的準備，估計也不足。例如，他沒有好好利用這塊寶貝去營造一個勢，故遠遠做不到一呼百和。

他向袁紹請辭，發了毒誓；後來遭劉表領兵攔截，他再次發了毒誓，但效果都不好，使自己處於極爲被動的局面，確是「一子錯，滿盤皆落索④」了！

袁孫皆無法借勢而上

呂布敗於劉、關、張手下，使董卓的形勢告急，決定遷都，以長安取代洛陽。牽一髮而動全身，何況遷都？

曹操要藉着這個機會追擊董卓，但盟軍的盟主袁紹卻一再猶豫。曹操說：

「董賊焚燒宮室，劫遷天子，海內震動，不知所

歸：此天亡之時也，一戰而天下定矣。諸公何疑而不進？」

　　曹操看到了一個勢。他並且要借這個勢，一舉擊敗董卓。董卓的所作所爲，使天怒人怨，加上遷都，勞師動眾，在某種程度上，無異於自斷一臂。

　　這樣的一個勢，不是輕易出現的，可是，由袁紹以至眾諸侯，均猶豫不決。於是，曹操決定以自己的兵力，追擊董卓。後來，由於兵力不足，大敗。咬不住一個勢，便無法很好地借勢了。我們不能說，曹操不懂得這個道理，只是，那末一個勢確是不易逢上，曹操便冒險也得一試了。

　　孫堅託疾向袁紹請辭之後，袁紹命人接新敗的曹操回來一敘，可是，二人談得並不投契，席散後，曹操也他投而去。

　　曹操把袁紹捧了出來，這時見他不能成事，也便不願意爲他浪費時間，甚至再次浪費機會，毅然下了那末一個決定。這亦同時決定了盟軍的命運。

　　曹操放棄了袁紹，其他人也明白那是怎麼一回事。公孫瓚與劉、關、張等，緊接曹操之後，離袁紹而去。到了這末一個地步，袁紹已完全失勢了。袁紹當初被曹操推舉爲盟軍的盟主，本來是形勢大好，但他命自己的弟弟袁術掌管軍糧，這個做法，已經大大不及曹操的明智；後來，他留不住孫堅，不支持曹操追擊董卓的提

議，那個勢已漸漸失去了。

　　袁紹和孫堅一樣，都無法借勢而上。

孫堅救滅洛陽大火後，屯兵城內。

他的營帳，建在原來皇宮的廢墟之上。

帝星不明，賊臣亂國，萬民塗炭，令人好不感傷。

殿南昇起一道五色祥光。

咦！那是甚麼光？

莫非有甚麼寶物？

命人點起火把，循光而去。

祥光發自井中。

井中撈起一具婦人屍首，頸下掛着一個錦囊。

啊！傳國玉璽！

錦囊裏面有一個硃紅小匣，用金鎖鎖着。

109

玉璽上有八個字⋯
受命於天，
既壽永昌。

我得了傳國玉璽，
定有做皇帝的份，
應快回江東，
圖謀大事！

今日得
玉璽之事，
誰也不准
洩漏！

是！

我是袁紹同鄉，
如密告袁紹，
一定會得
重賞。

在袁紹帳裏。

隨從連夜跑出營寨。

110

你害的是傳國玉璽病吧！

第二天，孫堅稱病，向袁紹辭行。

玉璽是朝廷寶物，你得到了，你應留在我盟主這裏，等破了董卓即歸還朝廷。你藏匿起來，是甚麼意思？

這話從哪裏說起？

沒有！沒這回事！

你在井中撈起的東西呢？

玉璽怎麼會在我這兒呢？沒有的事！

111

快交出來！不然，別怪我不客氣！

我不如立個重誓，騙過他們！

我若得了玉璽，將來不得好死，死於刀箭之下！

孫將軍立了重誓，想來沒得到傳國玉璽！

不！我有證人！

你來作證！

你這背主的小人，我殺了你！

你敢動手？

劍拔弩張，千鈞一髮。

眾諸侯上前勸住雙方。

孫堅率部離去。

袁紹大怒，馬上寫信給荊州刺史劉表，要他在路上截擊孫堅。

這時，曹操兵敗回到洛陽，袁紹設宴為他壓驚。

我們興義兵伐董卓，原是為國除奸，沒想到功敗垂成，真令人失望！

曹操見眾諸侯各懷異心，料到不能成事，散席後便領兵離去，自謀發展。

諸侯離心，同盟解體。公孫瓚和劉、關、張也撤軍北歸。

這時，劉表接到袁紹來信，派蒯越、蔡瑁領兵一萬，截擊孫堅。

孫堅路過荊州，兩將率兵攔擊。

劉備回到平原，招募士兵，訓練隊伍，待機而動！

蒯將軍爲何攔我去路？

你是漢朝臣子，爲甚麼私藏傳國玉璽！快快交出，放你過去！

115

我上！

欺人太盛！誰去敎訓敎訓他？

黃蓋一騎衝出，蔡瑁舞刀迎戰。

蔡瑁不敵，轉身後逃。

孫堅乘勢殺出界口。

剛走不遠，劉表親自率軍阻路。

蒯越、蔡瑁也回身追殺上來。

孫堅，快把傳國玉璽留下，放你過去。

劉表，我和你拚了！

總有一天，我要報今日之仇！

孫堅帶程普、黃蓋、韓當三員大將左衝右突，終於殺出重圍。

118

八

劉備初會趙子龍

因 緣 際 會 事 出 有 因

　　「物以類聚，人以羣分」，具有相近的思想及做事的
目的，就能把人維繫在一個圈子裏。而情投意合更能長
期共事，無猜無忌。

韓馥送糧袁紹謀冀州

　　袁紹失意於盟軍之後，用計欺騙公孫瓚，佯稱二人
合攻冀州。

　　袁紹本來缺糧，冀州的韓馥因為糧草豐足，主動送
糧給袁紹，豈料反而引起袁紹垂涎，索性要奪取冀州。

　　公孫瓚出兵，果然一如袁紹的謀士所料，韓馥向袁
紹求援，袁紹才入冀州，便「鵲巢鳩佔①」，昂然成為冀
州的主人。韓馥「引虎入羊羣」，自討苦吃，也無話可說
了。

　　袁紹有謀士，韓馥也有謀士，二人的謀士都各有本
領，各有預見力。袁紹聽謀士所言，便得冀州；韓馥相
反，則失冀州。韓馥不聽謀士的意見，是因為他以為袁
紹不是「虎」，而是「賢」，有意向古人學習，「擇賢而讓
之」，後來，他知道袁紹不是賢人，卻悔之已晚。

　　袁紹的謀士看見韓馥主動送來軍糧，想到韓馥如果
有難，多會首先想到袁紹，以為袁紹為了報答他，必會
義不容辭地主動即刻發兵相助，這樣，袁紹便可兵不血
刃②地得佔冀州了。其中，袁紹要做的只有一件事，那

就是「馳書公孫瓚，令進兵取冀州，約以夾攻」。

袁紹的謀士說，「瓚必興兵」。這個判斷，看來是基於兩個因素，第一，公孫瓚曾投效盟軍，袁紹是盟主，第二，「冀州乃錢糧廣盛之地」，是一塊肥肉，加上袁紹首先提出「夾攻」，公孫瓚遂難以拒絕這個引誘。

袁紹上次沒有聽從曹操的意見，發兵攻打遷都長安的董卓，那是由於他當時是穩坐盟主之位，這次，袁紹是處於困境，沒有退路，幾乎是孤注一擲，也便聽從了謀士的意見。

韓馥大抵怎也想不到，自己主動向袁紹送糧，竟然會成為袁紹謀取冀州的伏筆。世界上的事情就是這樣，誰都不希望「招狼入室」、「引虎入羊羣」，但偏偏事與願違。而，一個人的處境，亦往往對其思想、判斷等大有影響。

比一身好本領更重要

公孫瓚中了袁紹的計，大罵袁紹為「狼心狗肺之徒」，發兵攻打袁紹。然而，他沒有自省，如果自己不貪冀州的錢糧，也便不會上袁紹的當。一個人不經常自省，智慧不僅不會提升，而且會下降，變得剛愎自用③，變得愚蠢。

這一點，少年的趙雲（趙子龍）便比公孫瓚優勝。

①鵲巢鳩佔：傳說斑鳩不築巢，總是把喜鵲的巢強佔為自己的窩。比喻強佔他人的土地。

②兵不血刃：兵器不用沾血，指用不着動刀槍。

③剛愎自用：倔強固執，自以為是，不接受他人的意見。

121

公孫瓚攻打袁紹，卻兵敗，被袁紹手下大將文醜追得走投無路，披髮跌在坡下，十分狠狽。在萬分危急的當兒，少年趙雲救了公孫瓚。這不是偶然，趙雲本來是要來投靠公孫瓚的，他對公孫瓚說：「因見紹無忠君救民之心，故特棄彼而投麾下——不期於此處相見。」

　　趙雲本來是隸屬於袁紹的。昔日，曹操以「忠義」二字組盟軍討伐董卓，推舉袁紹為盟主。趙雲看不清楚袁紹的面目。他棄袁紹，為甚麼投公孫瓚呢？大抵，那是由於他看見公孫瓚發兵打袁紹，袁紹是「奸」，那末，跟袁紹對抗的人，如公孫瓚，便一定是「忠」的了。這自然是一種簡單的判斷，是比較膚淺的。少年人容易上人家的當，往往就是由於這個原因。

　　但是，趙雲勇於承認錯誤。儘管知道過去追隨袁紹是不對的，卻又錯認公孫瓚值得投效，並且把他救出了險境，只是無論如何他也作了某程度的自省，而且光明磊落。

　　後來，袁紹與公孫瓚雙雙歸順董卓，此時，趙雲遇上了劉備，不禁歎道：「曩日④誤認公孫瓚為英雄；今觀所為，亦袁紹等輩耳！」

　　這是趙雲的再度自省。這次自省，比第一次又進了一步。趙雲一身好本領，他助公孫瓚對抗袁紹時，「一騎馬飛入紹軍，左衝右突，如入無人之境」，武藝與膽量均超羣，但目力不足，故一再吃虧。

　　從另一個角度看，由於趙雲的願意自省，所以一再的吃虧，對他來說，卻也成為極好的煉歷，極有助他的成長。

袁紹離開洛陽後，屯兵河內。

軍中缺糧，怎麼辦？

袁紹對謀士逢紀說。

太好了！眞是雪中送炭！

報！冀州州牧韓馥派人送來一大批軍糧！

大丈夫縱橫天下，怎能等別人送糧上門？冀州盛產糧米，將軍爲何不設法奪取它呢？

唔！妙計？你有甚麼妙計？

將軍可暗中約公孫瓚起兵同取冀州，韓馥不知，必請將軍相助。將軍從中取事，冀州唾手可得。

妙計！

124

好！我立即起兵！

請即出兵共取冀州，平分其地……

袁紹派人送信給公孫瓚。

公孫瓚兵多勢眾，兼有劉關、張相助，我們難以抵擋。

袁紹卻派人向韓馥告密。

韓馥召謀士荀諶、辛評、長史耿武商議。

袁紹智勇過人，手下有不少勇將，若請他前來相助，可保冀州無虞。

怎麼辦？

125

袁紹是豺狼，將軍千萬不要引狼入室！

韓馥不聽，派荀諶去請袁紹。

冀州完了！

冀州官吏紛紛離韓馥而去。

我要刺殺袁紹……

我們志同道合，一起幹！

耿武與別駕關純兩議。

幾天後，袁紹領兵來到冀州。

兩人埋伏在城外，等待袁紹到來。

耿武、關純持刀殺出，欲刺殺袁紹。

袁紹進了冀州，反客爲主，奪了韓馥的大權。

啊——

啊——

唉！我悔不聽耿武之言，才有今天！

他棄下家小，單身投奔陳留太守張邈去了。

公孫瓚聽到袁紹已佔據冀州，派弟弟公孫越來見袁紹，要求平分冀州。

你去叫你哥哥來，我有話說。

公孫越無奈，只得告辭回去。

走到半路被袁紹埋伏的人馬截住。

129

公孫瓚領兵
殺奔冀州。

不講
信義的
東西，
你竟敢
出賣我
！

你這
狼心狗
肺之徒，
看槍！

韓馥自願
把冀州讓給
我，跟你
有甚麼關係？

文醜挺槍策馬，
上前廝殺。

公孫瓚抵擋不住，敗回陣中。

文醜緊追不放。

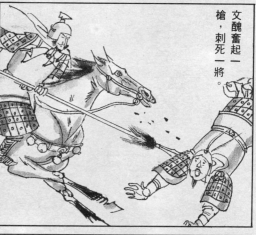

文醜奮起一槍，刺死一將。

避我者生，擋我者死！

三將敗逃。

公孫瓚，你往哪裏逃！

文醜緊追公孫瓚。

這下完了！

哈哈！公孫瓚，你的死期到了！

文醜不要逞兇，我來了！

兩人大戰五六十回合，不分勝負。

公孫瓚部下救兵趕到，文醜撥馬離去。

132

我姓趙名雲，字子龍，特來投奔將軍！

謝謝你救了我，請問尊姓大名。

好！我們一同回寨！

第二天，公孫瓚自率中軍，命大將嚴綱為先鋒，趙雲為後應，又和袁紹列陣交戰。

嚴綱兵敗，被袁紹手下大將麴義殺死。

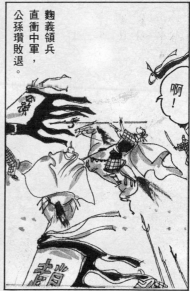

麴義領兵直衝中軍，公孫瓚敗退。

啊！

133

趙雲趕到，只幾個回合，一槍把麴義刺下馬來。

趙雲殺入袁紹軍中，如入無人之境。

公孫瓚領兵殺回，袁軍大敗。

將軍，形勢不利，不宜再戰！

田豐勸袁紹。

大丈夫情願戰死疆場，決不臨陣逃脫。

袁紹率軍死戰。

顏良、文醜率軍趕到，大舉反攻。

趙雲保着公孫瓚突圍而走。

殺啊──

殺啊──

衝啊──

公孫將軍，我們來了！

追殺袁紹。

135

136

将军少年英雄，令人敬慕。

久仰三位英名，不勝钦佩！

公孫瓚又介紹趙雲和劉、關、張相識。

劉

趙

不久，董卓假借天子名義，派使臣爲袁紹和公孫瓚講和了。

經公孫瓚推薦，劉備被任命爲平原相。

139

九

孫堅之死

孫堅到底中了誰的伏

孫權的父親孫堅是一名勇武的大將，他死的時候只有三十七歲；他的死，使我們想起了周瑜之死，周瑜死的時候只有三十六歲。二人都是英年早逝，是很值得惋惜的。

蒯良之計有沒有奧妙

周瑜的對手是素負盛名的孔明，孫堅的對手則是藉藉無名的呂公，這麼相比起來，孫堅是委屈得多了。呂公是劉表手下的一名將領，他是依了蒯良的計策，在峴山設下了伏兵，從而置孫堅於死地的。蒯良並非有名的謀士，他授予呂公的計策也不見得有任何過人之處，那是分兵兩路，一是埋伏在山上，準備好石塊；另一是以能射者隱於叢林之中，只要呂公引孫堅來到，石塊與弓箭齊發，便可以奏效。這樣的計謀，實在是極為普通。

然而，我們都知道，孫堅就是死在這樣的亂石與亂箭之下。是不是蒯良的計謀自有其奧妙之處，只是我們看不出來呢？

孫堅正為所恃者所害

不是。這裏，且讓我們細看一下，呂公引五百騎自襄陽突圍而出，孫堅知道了，自行帶了三十餘騎便追上

去；到了後來，因為孫堅馬快，他單騎在前，也不稍等，直追上去，大叫呂公休走，「呂公勒回馬來戰孫堅。交馬只一合，呂公便走，閃入山路去。堅隨後趕入，卻不見了呂公。堅方欲上山，忽然一聲鑼響，山上石子亂下，林中亂箭齊發。堅體中石、箭，腦漿迸流，人馬皆死於峴山之內」。我們清楚地看到，蒯良的計策不僅沒有過人之處，而且敗筆甚多，多處見破綻，問題是，孫堅為甚麼會中伏身故呢？

分析起來，第一，孫堅攻劉表，連戰皆捷，而且幾乎不必怎樣花力氣，這便使孫堅隱隱然有著視劉表如無物的心理；第二，昔日孫堅得傳國玉璽，要辭別袁紹，退回江東，途中為劉表奉袁紹書，引兵截孫堅的退路，孫堅從此記恨在心，這次攻劉表，是要還以顏色[1]，其弟孫靜諫道：「今董卓專權，天子懦弱，海內大亂，各霸一方；江東方稍寧，以一小恨而起重兵，非所宜也；願兄詳之。」孫靜言下之意，是希望孫堅能休養生息，方是長遠之計，但孫堅聽不入耳，他更以為自己已具備了「縱橫天下」之力；第三，他孫堅得到了傳國玉璽之後，信了程普的說話，以為自己必可登上九五之尊[2]的位置，雄心萬丈，連自己的「帥」字旗被狂風吹折，他也不認為是凶兆，毫不理韓當勸他班師之言，還攻城攻得愈急了。

① 還以顏色：也給對手嘗嘗利害的手段。

② 九五之尊：即是帝王之尊。九五，典故出自《易·乾》，後以九五指帝位。

143

看禍福的無常③與有常④

　　以上的三點，就是孫堅中伏的前因。

　　現在，我們更加可以肯定地說，孫堅中伏，完全不是因為蒯良的計謀了得，如果不是孫堅自尋死路，蒯良是必然無法得計的。

　　「禍兮福所伏，福兮禍所倚」⑤，信焉！孫堅所得的傳國玉璽，實在不是尋常之物，程普的「九五之尊」的說法，也是流傳已久的了。孫堅駕馭不了傳國玉璽，同時駕馭不了那個傳說，因為這樣，才會最後招至殺身之禍。

　　其實，不要說是得到了玉璽，便是得到了一筆不大不小的獎金，或者是職位得到了提升，也得用「一則以喜，一則以憂」的心態來對待之，喜是人之常情，不必細說；所憂者，是自己能不能保持清醒的頭腦，能不能繼續正確地看待自己。這原來是一個關口，而這關口，卻正是往往不能過得好的呢！

③無常：不按正常的規律出現、行動。

④有常：按照正常的規律出現、行動。

⑤禍兮福所伏，福兮禍所倚：原句出自《老子》，指禍、福是會互相轉化的。

孫堅帶着傳國玉璽回到江東後，時刻想着向劉表復仇。

南陽太守袁術利用孫堅的復仇心理，促他發兵討伐劉表。

不是袁術來信，我也要出兵報仇。

袁術這個人很狡猾，別聽他的話！

程普誠心相勸。

安排戰船準備出兵

孫堅命黃蓋。

哥哥，我們實力並不比劉表强，還是暫別出兵。

孫堅的弟弟孫靜。

145

不！我非出兵
報仇不可！

這是孫堅的兒子
孫策，十七歲。

父親定
要出兵，
孩兒跟
你同
去。

好！

孫堅父子率大軍渡江。

黃祖
率領江夏
守軍
嚴密防守。

注意，
孫堅船到，
立刻放箭！

147

哈哈！岸上射來的箭越來越少，他們的箭快射完了。

第三天。

連續三天，孫堅指揮戰船迫近岸邊，引誘黃祖放箭。

孫堅命令士兵收集船上箭枝，以備反攻，共收得十萬多枝。

靠岸！放箭！

黃祖支持不住，只得率兵退走。

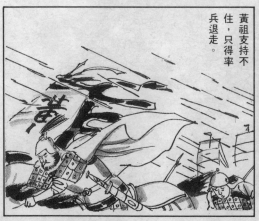

孫堅派黃蓋守住戰船，親自率軍上岸追襲。

黃祖抵敵不住，棄了樊城，退守鄧城。

孫堅率兵追到鄧城，雙方列陣交戰。

黃祖派偏將張虎出陣挑戰。

我是江夏張虎，誰來會我？

江東小賊，你好大膽，竟敢侵犯漢室宗親的地界。

這是黃祖
部將陳生。

張虎打不過，
我上去助戰！

陳生飛馬衝出。

我來！

我來賞
他一箭
！

這是孫策。

呀！

張虎見了，心中
一慌，被韓當
斬下馬來。

啊喲！

150

衝啊！
活捉
黃祖！

衝啊—
殺啊—

黃祖丟掉頭盔，捨了戰馬，混入步兵逃走。

孫堅乘勝追擊，直至漢水才安營紮寨，並傳令黃蓋將船隻進泊漢江。

黃祖逃回劉表營中。

孫堅兵強將勇，我抵擋不住……

劉表把蒯良找來商議。

151

我軍剛打了敗仗，只宜堅守，並可派人向袁紹求救。

好！

兵臨城下，怎可束手待斃？我願出城和孫堅決一死戰。

蔡瑁帶領一萬人馬，出城和孫堅對陣。

他是劉表後妻的哥哥，誰去抓獲他？

我去！

程普和蔡瑁交鋒。

只幾個回合。蔡瑁大敗。

蔡瑁逃回襄陽城。

分四面包圍，全力攻城！

劉表依蒯良之計，堅守不出。

一天，狂風驟起。

喀嚓

襄陽即可攻下，怎能因旗桿折斷而收兵呢？

帥旗折斷，不是好兆頭，還是班師為好。

當晚，滿天星斗。

孫堅繼續率軍攻城。

昨夜觀察星象，看到一顆將星欲墜，估計應在孫堅身上，主公快派人向袁紹求助。

那將星欲墜，看來應在孫堅身上。

蒯良觀星

劉表馬上給袁紹寫了一封求助信。

我去。

誰敢突圍出去送信？

你可如此
如此……

黃昏時分，
呂公領了五
百人馬，
悄悄由東門出城
直奔峴山。

報！
劉表派人突
圍，往峴山
而去。

來到叢林密處，
立即設下埋伏。

孫堅率三十餘名
騎兵，出營
追擊。

你往哪
裏逃？

孫堅馬快，單人
匹馬追到峴山腳下。

155

只一個回合，呂公撥馬又逃。

呂、孫兩人交鋒。

咦？人呢？

孫堅不知是計。

放！

山石亂滾，萬箭齊發。

孫堅中箭，倒地而亡，年三十七歲。

呂公又乘勢把跟隨孫堅的三十多人全部殺光。

他又依照和蒯良的約定，放起連珠號炮。

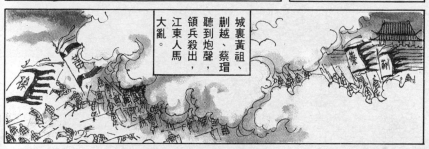

城裏黃祖、蒯越、蔡瑁聽到炮聲，領兵殺出，江東人馬大亂。

程普保着孫策，奮力衝殺。

黃蓋率水軍趕來救應，正遇黃祖。

兩軍混戰，直到天亮才各自收兵。

戰了兩個回合，活擒黃祖。

父親，你死得好慘呀！

孫策回到漢水，方知父親中計而死，屍首已被劉表軍士扛抬入城。

父親，孩兒我一定爲你報仇！

雙方經過交涉，孫策用活擒的黃祖換回了父親的屍首。

孫策撤兵回到江東，把父親葬在曲河。

十

巧設連環計

設計難施行起來更難

　　在有名的「三英戰呂布」中，劉、關、張合三人之力，才能迫退呂布，我們有沒有想過，有一位年方二八的少女，竟然能使呂布乖乖就範，而且像庖丁①那樣，遊刃有餘②地，殺了董卓？

　　這位少女，這位二八英雌，是貂蟬。

美女助司徒巧設連環

　　我們常常說，「王司徒巧施連環計」，連消帶打地，既對付了極難對付的呂布（指呂布的驍勇善戰），更借呂布之力，殺了董卓。其實，連環計的能夠成功，貂蟬的功勞，起碼不在王司徒之下。

　　王司徒，就是司徒王允。貂蟬，是王允自小收養的一名養女，也是王允宮裏的一名歌伎。「少年十八無醜婦」，何況，她的確長得很美。我們很容易便聯想到「英雄難過美人關」的許多例子，但是，聯想如果太隨意，說不定只會帶來破壞。

　　貂蟬靠的，不僅僅是自己的美色。王允使用她執行、推動關係重大的「連環計」，也不僅僅因爲她的美色。貂蟬獨自嘆息，引起了王允的注意；接着，貂蟬向王允表明，她知道他爲國家大事憂心，願意盡自己所能，爲他效勞。這樣，深曉董卓、呂布「二人皆好色之徒」的王允，才把貂蟬的美色與「連環計」掛上了鈎。

好色之徒難避離間計

　　如果說，女人愛美是天生的話，那末，女人能很好地使用美色的能力，便不是天生的了。傳統的看法是，女人的美與智慧是對立的，似乎，美女必然欠缺智慧，只能成為男人的玩物。有的美女，嘗過因為貌美而得寵的甜頭之後，便想到如此這般便可以過日子，於是疏懶於用功，漸漸變得腦袋不靈，這樣的例子，也是有的。有一個說法，叫「恃靚行兇③」，我們回頭看貂蟬，她便不止是自恃美色了。

　　果然一如王允所料，呂布一眼便愛上了貂蟬，而，董卓也不能例外。王允依計而行，先把貂蟬許配與呂布，後再送貂蟬給董卓，在呂布面前，藉詞董卓不顧呂布，據貂蟬為己有，挑撥離間。

　　可是，這「連環計」要順利施行，起碼得克服兩大難點：

　　一、董卓是呂布的義父，兩人關係甚深，董卓也向器重呂布；

　　二、董卓身邊有謀臣李儒，此人洞悉力甚強，思想敏銳，在董卓與呂布交惡的當兒，他便以「絕纓之會」的典故，向董卓提出勸諫，能即時收到效果。這個典故，正史上是有的，說的是春秋時代，楚莊王某次夜宴羣臣，燭火滅了，一片漆黑，有人乘機輕薄王后，牽扯她

①庖丁：即《莊子‧養生主》書中著名寓言「庖丁解牛」的主角庖丁（即是廚工），他肢解牛的技藝熟練、神奇。

②遊刃有餘：原來是形容庖丁肢解牛時，刀鋒在牛的骨縫裏運轉還大有回旋的餘地。後人因以形容技藝熟練，做事輕鬆利落。

③恃靚行兇：香港俗語，形容美貌女子仗着受人寵愛而任意妄為。

161

的衣服，卻被她揪下帽穗（纓）。王后要楚莊王追查。本來，對楚莊王來說，那是輕而易舉的事，但楚莊王沒有那樣做，那人得以逃過大難，後來，在一次重要戰役中，那人勇敢殺敵，立了大功。董卓知道這個典故，也因此保住了跟呂布的關係，使「連環計」遇上了阻滯。

貂蟬的表現，深具「忍辱負重」的大將之風，她深入腹地，以極大的忍耐力與呂布及董卓二人周旋，並覷準一次機會，施展渾身解數，包括了要跳荷花池求死等，使潛入董卓後宮與貂蟬相會的呂布留了下來，拖延了時間，等董卓得以趕返，撞破了呂布的「好事」，在心底裏留下了抹不掉的濃重陰影。

此外，貂蟬面對李儒的厲害反擊，一方面對董卓堅決表示，「一女不能嫁二夫，更告訴董卓，李儒私底下與呂布「交厚」，李儒的獻策與董卓，純是為了呂布，不顧董卓的體面。

在「連環計」快要給破解的危急情況下，貂蟬根本來不及請示王允，她急而不慌不亂，人急智生，終於能夠使「輕舟」闖過險關，渡過萬重山。

天才與白痴一線之差

自然，王允與貂蟬的裏應外合是重要的，例如，他對呂布說的，呂布跟董卓不是同一個姓，便頗能擊中要

害。不過，說到底，如果貂蟬不是美貌、智慧、勇敢三者兼備，「連環計」也便決不能成功。

有了一個好的想法，要加以實現，還有很遠的路要走，路上也佈滿了荊棘。好的想法如果無法實現，直截了當地說，那是等於甚麼也沒有的。

到了最後，以為鴻鵠將至④的董卓，看到了一些不祥的兆頭，包括了坐駕車折輪，改乘馬匹，豈料馬匹又無端掙斷了轡頭；次日，行進間，又碰上狂風、昏霧；還有聽見歌詞古怪的兒歌及遇上一攔路的道士等，可是，他都一概往好處想，始終不起疑竇，把凶兆看成是吉兆，結果遭逢殺身之禍。或許這是末路者的必然罷！

這在某個程度上，也給我們說明了，兆頭的吉凶，許多時候是給主觀意志、主觀願望所左右的，說凶便是凶，說吉便是吉，那便真的是吉凶難料。在這個情況下，智叟也會變成愚公了。天才與白癡，一線之差，信耶？

④鴻鵠將至：典故出自《孟子·二子學弈》：「一人雖聽之，一心以為鴻鵠將至。」這裏借指洪福快要來到。

十七歲。

孫堅的兒子幾歲了？

董卓高興之極。

哈哈！孫堅死了，又少了一個大敵！

自此，他更加飛揚跋扈，百官敢怒而不敢言。

哈哈！乳臭未乾，不足為患！

一天，董卓設酒宴宴請百官。

袁術派人送信給張溫，落在我手裏……

殺一儆百。

唔！把張溫拖出去殺了！

啊！

司空張溫被呂布從席上揪下來。

百官不寒而栗

各位莫慌。張溫勾結袁術，想設計害我，我才殺他。我們還是喝酒吧！

晚上，在後花園裏。

唉——

司徒王允滿懷悲憤回到府中。

你怎麼了？為甚麼唉聲嘆氣？

咦？她從小選入府中，我待她如親生女兒一樣，何故深夜唉聲嘆氣？

貂蟬也在對月長嘆。

唉——

見大人為國操勞，心事重重，而我卻不能為大人分憂，因此長嘆。

董卓、呂布、貂蟬三人疊影在王允腦中一閃。

她很美，我何不用她來使連環計。

166

你跟我到畫閣中去，我有話說。

王允潸然淚下。

貂蟬，我求你一件事⋯⋯

大人快請起來！你不管叫我幹甚麼，我都萬死不辭！

現朝中董卓專權，視人命如草芥，他有個義子呂布，驍勇異常。

我想用「連環計」，先把你許配呂布，再獻給董卓，讓他父子翻臉成仇，叫呂布殺掉董卓。

行！我一定依計行事！

第二天，王允請工匠用幾顆昂貴的明珠嵌造了一頂金冠。

呂布很高興，親自到王允府中致謝。

王允派人暗地把金冠送給呂布。

呂布乃相府一員小將，王大人爲何如此客氣？

當今天下，只有將軍才算得上英雄，我是敬才才啊！請！

說得好！乾杯！

乾！

乾！

再乾一杯！

乾！

王允一面稱頌董卓的功德和呂布的威武，一面勸酒。

再乾一杯！

乾！

請將軍再乾一杯。

酒喝到一半。

169

把我女兒叫來。

王允退下左右，只留兩個侍女服侍。

沒想到天下竟有這麼美的女孩。

呂布疑是天女下凡。

我女兒貂蟬，蒙將軍看得起我，所以叫她出來相見。

她是誰？

是！

貂蟬，快給呂將軍斟酒。

貂蟬做嬌羞狀。更令人心動。

170

大美了。

呂布意亂情迷。

貂蟬回眸一笑。

呂將軍，請乾杯。

呂布連乾數杯。

女兒，你給呂將軍再多斟幾杯，我們全家都靠着將軍哩！

你坐！

貂蟬假意告辭，欲轉身回房。

呂布略有醉意。

呂將軍是我好朋友，你坐吧！

兩人以目傳情。

過幾天我挑個好日子，把女兒送到府上。

呂將軍，我把女兒許配給你，怎麼樣？

那我太高興了。以後我一定為司徒效犬馬之勞！

172

呂布喜形於色。

王大人在上，請受小婿一拜！

哈哈！

席散後，呂布戀戀不捨，告辭離去。

過了幾天，王允又宴請董卓，讓貂蟬獻舞。

你這裏居然藏着此等美人。

董卓目不轉睛地盯着貂蟬。

她是誰呀？

歌女貂蟬。

173

太師既然喜歡，我就把她送給你！

多謝司徒美意。

董卓無心再喝酒，告辭回府，王允親自送到相府門口。

王允立即命人備車，吩咐把貂蟬先送入相府。

司徒既已把貂蟬許配給我，為甚麼又將她獻給太師？

王允乘馬回府，路遇呂布。

兩人來到王允府中。

這裏不是說話的地方，請將軍到我府上去說。

太師知道我把女兒許配將軍，說今天是吉日良辰，要我送去跟你成婚，我怎敢違拗呢？

有人告訴我，你已用車把貂蟬送入相府，這是怎麼回事？

呂布趕到相府門口，大門已關。

這樣說來，是我錯怪你了！

175

第二天一早，呂布來到相府打探。

這究竟是怎麼回事？難道……

呂布潛至董卓臥房後窺探。

夜間太師和新婦一起睡，到現在還未起牀。

我假裝揹淚，蒙騙他一下。

貂蟬正在梳頭，望見呂布池中倒影。

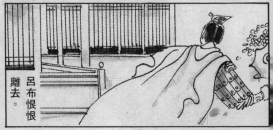

呂布恨恨離去。

董卓還沒醒，我正好用計。

呂布借口探病，來到董卓臥室。

過了幾天，董卓生病，貂蟬盡心服侍，董卓更加寵愛。

又用手指指董卓。

貂蟬眼望呂布，以手指心。

貂蟬轉過臉去，連連抹淚。

177

呂布心碎，滿腔怒火。

你竟敢調戲我的愛妾！滾出去！今後不許進來！

董卓醒來，不由大怒。

太師太欺負人了。

呂將軍滿臉怒氣，發生甚麼事了？

呂布惱恨而出，遇到李儒。

他調戲我的愛妾貂蟬……

太師，你和呂布是怎麼回事？

太師要取漢朝天下，呂布是少不得的幫手，萬一他變心，豈不壞了大事？

哪怎麼辦？

明天召他進府，多賞他些財物，用好話撫慰他一下。

好！就這樣辦。

你搶走了我的貂蟬，我不會罷休的。

我昨天心神恍惚，錯怪你了，你不要記在心上。

第二天，董卓賞給呂布十斤黃金，二十匹錦緞。

你放心，我不會放在心上的。

董卓病癒後，入朝議事，呂布執戟相隨。

呂布身隨董卓，心中卻思念着貂蟬。

我何不乘機溜回去找貂蟬！

百官散去後，獻帝留董卓商議國事。

呂布立刻乘馬回相府。

他來到後堂，找到了貂蟬。

你到後園鳳儀亭邊等我。

將軍，我是你的妻子，可卻被太師……

我本應立即去死，可我愛你，只想再見你一面。現在，我可以安心去死了！

說罷,跑向荷花池邊做欲跳水狀。

呂布撲上前一把抱住。

貂蟬,我也愛你,我不能讓你死!

我今生不能和你作夫妻,只能等來世了!

不!我這輩子一定要娶你。

那你有甚麼辦法呀?

我一定會想辦法的!今天我是偷空來的,時間長了,老賊會發覺的,我走了!

今天機會難得，我得拖住他，等董卓趕來，讓他們反目……

你別急！讓我慢慢想辦法！

將軍這樣懼怕老賊，那我沒有出頭的日子了！

呂布滿面羞慚，趕快摟住貂蟬。

唉！我本以為將軍是當今天下第一英雄，誰想……

貂蟬淚如雨下，又向池邊奔去。

兩人緊緊地抱在一起。

董卓在朝中
不見呂布，
心中疑慮，
趕回相府。

好大膽的
逆賊！

糟糕！
太師來了！

他尋到後園，
見呂布和貂蟬
在一起。

逆賊！我殺了你！

太師要殺我！

呂布奔出後園，碰到李儒。

你怎麼啦？

李儒奔進園，想去勸董卓。

既然如此，太師何不把貂蟬賜給呂布，讓他感恩戴德。

讓我想想。

剛才是怎麼回事？

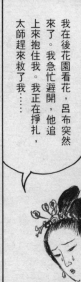

我在後花園看花，呂布突然來了。我急忙避開，他追上來抱住我。我正在掙扎，太師趕來救了我……

我把你賜給呂布，好嗎？

一女不嫁二夫，那我寧願去死！

我是說着玩的，你別當眞！

貂蟬假意拔劍，欲自刎。

186

寶貝，你放心！我捨不得你的！

你不會說着玩的，定是李儒敎你的！他太壞了，我恨不得咬他兩口！

第二天，李儒來勸董卓把貂蟬賜於呂布。

我與呂布有父子名份，不便賜給他！

太師不要被女人迷住⋯⋯

你肯把妻子送給別人嗎？不許再說，再說小心你的腦袋！

當天，董卓帶着貂蟬回郿塢，百官前來送行。

唉！我們這些人都要死在女人手裏了！

貂蟬在車上遙視呂布，以手掩面，裝作哭泣的樣子。

貂蟬，你別傷心，我一定救你出來！

將軍怎麼不去鄔塢，反在這裏長嘆？

我正爲貂蟬煩惱……

怎麼？這麼長時間了，太師還沒讓你們成婚嗎？

老賊早已自己霸佔了！

我不相信！怎會有這種事！

呂布說了貂蟬進相府後發生的事。

想不到太師竟會做出這種事來！禽獸不如。

王允把呂布邀到府中飲酒。

太師奸淫我女兒，奪了將軍的妻子，真是我倆的奇恥大辱呀！我老邁無能，只好算了。只是將軍英勇蓋世，怎能受得這般侮辱！

我⋯⋯

190

於是，王允和呂布相約保密，等王允定下計策，再告訴呂布。

我發誓！一定要殺了老賊，洗雪我的恥辱！

我們只要如此如此，一定可以殺掉董卓！

哈哈……

王允立即聯絡幾個大臣，秘密商議。

郡騎都尉李肅帶着獻帝禪位給董卓的詔書來到郿塢，董卓看了，堅信不疑。

191

百官來到城外恭迎。

我做了皇帝，你做天下兵馬大元帥！

董卓進到相府，呂布前來拜賀。

死到臨頭，還白日做夢！

第二天，董卓乘車入朝，李肅持劍相隨。

？

董卓命心腹腹李傕、郭汜率軍守郿塢，擺開儀仗，上車回京。

192

董卓的軍馬都被擋在宮門外。

王允他們手中都拿着劍，這是甚麼意思？

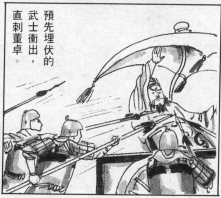

預先埋伏的武士衝出，直刺董卓。

反賊到了，武士們，上！

呂布快來救我！

奉詔討賊！

啊—

奉詔誅殺賊臣董卓，其餘一概不問！

萬歲！萬萬歲！

王允和呂布又下令殺了李儒。

王允派呂布率兵五萬，殺向郿塢。

李傕、郭汜引兵逃向涼州。

呂布進了郿塢，先尋到貂蟬。

老賊已被我殺死，現在你可以做我妻子了。

將軍真不愧是英雄！

195